perrault
contes

agrégé de l'Université
professeur de Lettres modernes

lectures
pour
les collèges

CLASSIQUES HACHETTE

INTRODUCTION

Plaisir de relire/lire
les « Contes » de Perrault

> Si « Peau d'Ane » m'était conté
> J'y prendrais un plaisir extrême.
> *(La Fontaine)*

A l'opposé des gens graves de son époque, La Fontaine avait compris que les contes dits « enfantins » peuvent passionner grands et petits. Mais, dira-t-on, le « Bonhomme » – comme on se plaît à appeler l'auteur des Fables *– n'était qu'un enfant égaré dans le monde des adultes...*

Est-il bien certain que les fées ont fini d'exercer sur vos aînés (parents, maîtres...) et à plus forte raison sur vous qui sortez de l'enfance et qui gardez des rapports privilégiés avec ce temps où raison fait bon ménage avec déraison, réel avec imaginaire, est-il bien sûr que ces fées ont fini d'exercer sur vous leurs sortilèges, et que loups, ogres et Carabosse ne provoqueront plus en vous quelques frissons ?

> « Croyez-vous aux fantômes ?
> – Non, mais j'en ai peur ! »
> *(Mme du Deffand)*

Du moins, si vous ne craignez plus vous-même ces êtres malfaisants, dans la forêt où vous avancez au côté du Petit Poucet et de ses frères, partagerez-vous la peur et l'angoisse des pauvres enfants abandonnés.

Dans le château terrifiant de la Barbe-Bleue, sans doute serez-vous saisi d'émotion, comme au récit de la palpitante péripétie d'un roman d'aventures, lorsque cet homme cruel s'apprêtera à égorger sa nouvelle femme.

L'ingéniosité d'un chat décidé à faire le bonheur de son maître, la beauté de ces filles malheureuses que sont Peau-d'Ane ou Cendrillon, l'éblouissement du prince qui assiste au réveil du palais endormi, tout cela miroitera encore de mille grâces magiques.

Au plaisir du récit lui-même, il est probable que vous ajouterez la subtile satisfaction de retrouver des personnages qui vivent en vous, à demi assoupis, depuis plusieurs années.
Celui dont la petite enfance n'a pas été bercée par ces brèves

histoires éprouveront la joie de parcourir des textes charmants, tour à tour humoristiques et émouvants.

Et celui pour qui les Contes de Perrault sont des amis de toujours sera curieux d'apprendre que ce livre contient un récit inattendu, plus proche du genre de la fable, Les Souhaits ridicules, et il découvrira, dans le texte authentique, des œuvres souvent malmenées parce qu'on a trop voulu les « adapter » aux enfants.

Charles Perrault : un nom célèbre/un homme oublié

Avant d'entrer au royaume de féerie, demandons-nous qui était le personnage portant le nom de « Perrault », ce patronyme inévitablement lié au mot « contes ». L'œuvre a obtenu un si vaste succès qu'elle a éclipsé l'homme qui l'a écrite. Mais, en même temps, elle a sauvé de l'oubli ce nom que seuls les gens savants auraient retenu, alors que, grâce aux Contes de ma mère l'Oye, il est connu de tout le monde.

Quelle extraordinaire tribu que cette famille parisienne dans laquelle Charles Perrault est né en 1628 : famille aisée et cultivée dont le chef est avocat, les enfants : médecin et célèbre architecte (Claude), théologien de renom (Nicolas), receveur des finances, ce qui était un haut poste (Pierre) ! Favorisés par les muses (ou les fées !), tous se mêlent d'écrire et, chez les Perrault, on aime à composer en collaboration : c'est ainsi que le premier ouvrage de Charles, Les Murs de Troie, poème burlesque, a été écrit avec son frère Claude. Boileau, tout-puissant maître de la poésie à l'époque, trouvait toute cette famille « bizarre ».

La « bizarrerie » des Perrault tenait peut-être au fait que, doués pour tout, ils aimaient toucher à tous les sujets : les arts comme les finances, les problèmes techniques d'hydrologie aussi bien que les mathématiques, les questions religieuses et, bien entendu, la littérature.
Tout spécialement, Charles devint un personnage important que l'on voyait partout. Avocat comme son père, il préfère composer des vers, souvent à la louange de Louis XIV ;

La veillée au coin du feu. Frontispice dessiné et colorié du manuscrit de Charles Perrault (1695). Coll. Pierpont Morgan Library N.Y.

académicien, il joue un rôle actif dans le milieu des gens de lettres et on le verra engagé, pendant la dernière partie de sa vie, dans une querelle qui fit grand bruit à la fin du dix-septième siècle : Charles Perrault sera le défenseur des « Modernes », c'est-à-dire des grands génies du siècle de Louis XIV, à une époque où l'on avait coutume de porter toute son admiration sur les écrivains, artistes et penseurs de l'Antiquité grecque et latine. Sans doute une singularité de plus !

Les problèmes littéraires sont loin d'accaparer toute son activité. En 1663, il est entré au service de Colbert. Pendant vingt années, il travaille auprès du puissant ministre, notamment avec le titre de Contrôleur général des bâtiments : imaginez l'importance de son rôle au moment où s'intensifie une politique d'édification de monuments et palais royaux. C'est sans doute abusivement que l'on attribue à son frère Claude, l'architecte, et à lui-même les plans de la colonnade du Louvre (que l'on appelle encore colonnade de Perrault). Cependant cela ne doit pas faire douter de la variété et de la profondeur de ses connaissances dans le domaine des arts, particulièrement en architecture, ni de son influence dans le développement de tout ce qui pouvait assurer une plus grande gloire au Roi-Soleil.

Mais, avec l'arrivée de Louvois, Perrault est écarté, vers 1683, des hautes fonctions qu'il remplissait.
C'est alors qu'il décide de se consacrer à l'éducation de ses enfants.

Charles Perrault :
un père de famille/un conteur

S'étant marié tard et devenu veuf en 1678, lorsqu'il se trouve « libre et en repos », cet homme de cinquante-cinq ans a la charge d'une fille et de trois garçons encore en bas âge.

Dans les salons, à la cour de Versailles, une mode était née : celle des contes de fées. Madame de Sévigné goûtait ces histoires et on dit que même Colbert, même Louis XIV y prenaient plaisir. Aussi Perrault est-il autorisé à déclarer que les récits fabuleux « ont le don de plaire à toutes sortes d'esprits, aux grands génies, de même qu'au menu peuple, aux vieillards comme aux enfants ».

Charles Perrault, curieux de toute nouveauté et soucieux de l'éducation de ses enfants, s'intéressa naturellement aux « contes de vieilles » et songea à puiser dans ce fonds de récits populaires venant d'un lointain passé et transmis de génération en génération par les gouvernantes et les nourrices.

Ainsi, après avoir donné une nouvelle en vers, puis une fable, Les Souhaits ridicules, l'écrivain s'engagea plus nettement dans la voie du « merveilleux » en publiant une version personnelle de Peau-d'Ane qui était alors considéré comme le récit féerique par excellence. Mademoiselle Lhéritier, nièce de l'académicien et elle-même auteur de contes de fées, s'exprime ainsi sur cette œuvre de son oncle :

> « Le conte de Peau-d'Ane est ici raconté
>   Avec tant de naïveté,
>   Qu'il ne m'a pas moins divertie
> Que quand, auprès du feu, ma nourrice ou ma mie
> Tenaient, en le faisant, mon esprit enchanté. »

Aux yeux de Charles Perrault, il est probable que ce genre de récits remplissait auprès des enfants une fonction de divertissement et d'instruction. A la fois par vocation d'écrivain et pour accroître leur utilité et leur attrait, il désirait sans doute donner une tournure plus élégante à de telles histoires, allant jusqu'à les mettre en vers.

Cependant, pour les huit contes publiés ensuite, en 1695 sous le titre resté célèbre de Contes de ma mère l'Oye, et en 1697 sous celui de Histoires ou contes du temps passé, l'auteur a abandonné les vers et il a laissé supposer que ces œuvres étaient de la plume de son fils Pierre Perrault Darmancour.

Mais, dans l'entourage des Perrault, on savait généralement à quoi s'en tenir sur cette affaire. Il pouvait paraître difficile pour un personnage important d'avouer des œuvres tenues pour « bagatelles » par beaucoup ou, pire, « contes à dormir debout ». C'était peut-être aussi un moyen de « lancer » dans le monde de la littérature un fils qui possédait quelques dons. Ce qui est certain, c'est que les Contes de ma mère l'Oye sont liés au rôle de père de famille de leur auteur : un critique de l'époque les présente comme « bagatelles auxquelles il s'est amusé autrefois pour réjouir ses enfants ».

Bien que l'on sente avec netteté la plume habile de l'écrivain expérimenté et une connaissance de la société et de la cour acquise par le « commis » de Colbert, on ne peut rejeter absolument une sorte de collaboration entre le père et ses fils. Peut-être leur demandait-il, à titre d'« exercice », de raconter à leur manière le Petit Chaperon rouge ou le Chat botté, récits qu'ils avaient entendus de la bouche de leur nourrice. Plus simplement, on se plaît à imaginer les enfants suppliant leur père de leur conter une histoire et, sur le récit déjà enrichi par Charles Perrault, s'exerçant à broder quelques ornements nouveaux ; Pierre se serait montré le plus ingénieux, le plus inventif...

Devant la beauté des Contes, *on a pu dire que « l'amour paternel a été la vraie muse » de Charles Perrault.*

Le succès des « Contes » de Perrault

Ces onze petits chefs-d'œuvre, mêlant savamment la malice du courtisan au sourire attendri du père, associant merveilleusement traits enfantins et tours subtils, recèlent une rare beauté poétique.

Ainsi, quoi de plus exquis que cette simplicité teintée d'une nuance d'humour dans les premiers mots de la princesse qui s'éveille : « Est-ce vous, mon prince ?... vous vous êtes bien fait attendre ? »

C'est pourquoi, depuis trois siècles bientôt, ces contes de fées sont transmis aux enfants sous la forme que l'auteur du dix-septième siècle leur a donnée, et leur célébrité est telle que l'on en vient à appeler tous les contes de fées des « Contes » de Perrault.

Mais le succès a son revers : diffusés sous toutes les formes (livres, disques, films, albums d'images pour les tout-petits...), résumés, adaptés, illustrés, ces récits ont souvent perdu l'aspect qu'avait voulu leur donner l'auteur.

Aussi, vous voilà convié à retrouver les Contes *de Perrault sous leur vrai visage.*

PEAU-D'ANE

Pour échapper à l'amour que lui voue son père, roi très-puissant qui a le bonheur de posséder un âne qui crotte des pièces d'or, une belle princesse suit les conseils de sa « fée marraine » : elle exige des présents de plus en plus extraordinaires (des robes pareilles l'une à l'azur, l'autre à la lune, la troisième au soleil), mais tous lui sont accordés. Elle obtient même la peau de l'animal fabuleux. Alors, la fée l'engage à quitter le palais de son père :

« Voici, poursuivit-elle, une grande cassette
      Où nous mettrons tous vos habits,
      Votre miroir, votre toilette•,
      Vos diamants et vos rubis.
5   Je vous donne encor ma baguette :
      En la tenant en votre main,
La cassette suivra votre même chemin,
      Toujours sous la terre cachée ;
      Et lorsque vous voudrez l'ouvrir,
10 A peine mon bâton la terre aura touchée
Qu'aussitôt à vos yeux elle viendra s'offrir.

      Pour vous rendre méconnaissable,
La dépouille de l'âne est un masque admirable.
      Cachez-vous bien dans cette peau,
15 On ne croira jamais, tant elle est effroyable,
      Qu'elle renferme rien de beau. »

      La princesse ainsi travestie
De chez la sage fée à peine fut sortie,
      Pendant la fraîcheur du matin,
20   Que le prince qui pour la fête
      De son heureux hymen• s'apprête,
Apprend tout effrayé son funeste destin.

---

toilette : linge qu'on étendait sur une table pour sa toilette.
hymen : mariage.

Il n'est point de maison, de chemin, d'avenue•,
        Qu'on ne parcoure promptement ;
25   Mais on s'agite vainement :
On ne peut deviner ce qu'elle est devenue.

Partout se répandit un triste et noir chagrin ;
        Plus de noces, plus de festin,
        Plus de tarte, plus de dragées ;
30 Les dames de la cour, toutes découragées,
        N'en dînèrent point la plupart ;
Mais du curé surtout la tristesse fut grande,
        Car il en déjeuna fort tard,
        Et qui pis est n'eut point d'offrande.

35 L'infante•, cependant•, poursuivait son chemin,
Le visage couvert d'une vilaine crasse ;
        A tous passants elle tendait la main,
Et tâchait pour servir de trouver une place.
Mais les moins délicats et les plus malheureux,
40 La voyant si maussade• et si pleine d'ordure•,
Ne voulaient écouter ni retirer• chez eux
        Une si sale créature.

Elle alla donc bien loin, bien loin, encor plus loin ;
Enfin elle arriva dans une métairie
45   Où la fermière avait besoin
        D'une souillon, dont l'industrie•
Allât jusqu'à savoir bien laver des torchons
        Et nettoyer l'auge aux cochons.

On la mit dans un coin au fond de la cuisine
50   Où les valets, insolente vermine,

---

avenue : passage par où on arrive dans un lieu.
infante : ici, simple synonyme de princesse.
cependant : pendant ce temps.
maussade : d'aspect disgracieux.
ordure : saleté.
retirer : donner refuge.
industrie : habileté.

Ne faisaient que la tirailler,
La contredire et la railler ;
Ils ne savaient quelle pièce• lui faire,
La harcelant à tout propos ;
Elle était la butte• ordinaire
De tous leurs quolibets et de tous leurs bons mots.

Elle avait le dimanche un peu plus de repos ;
Car, ayant du matin fait sa petite affaire,
Elle entrait dans sa chambre et, tenant son huis clos,
Elle se décrassait, puis ouvrait sa cassette,
Mettait proprement• sa toilette•,
Rangeait dessus ses petits pots.
Devant son grand miroir, contente et satisfaite,
De la lune tantôt la robe elle mettait,
Tantôt celle où le feu du soleil éclatait,
Tantôt la belle robe bleue
Que tout l'azur des cieux ne saurait égaler,
Avec ce chagrin seul que leur traînante queue
Sur le plancher trop court ne pouvait s'étaler.
Elle aimait à se voir jeune, vermeille et blanche
Et plus brave• cent fois que nulle autre n'était ;
Ce doux plaisir la sustentait•
Et la menait jusqu'à l'autre dimanche.

Un jour, au retour de la chasse, un prince aperçoit Peau-d'Ane revêtue de sa robe couleur du soleil. Devenu fou d'amour pour cette beauté que les autres ne voient que sous les traits d'une laide servante, il exige que Peau-d'Ane « lui fasse un gâteau de sa main » :

Peau-d'Ane donc prend sa farine
Qu'elle avait fait bluter exprès

---

pièce : mauvais tour, farce.
la butte : la cible.
proprement : avec soin.
toilette : linge qu'on étendait sur une table pour sa toilette.
brave : élégante, bien vêtue.
sustentait : soutenait ses forces.

Pour rendre sa pâte plus fine,
Son sel, son beurre et ses œufs frais ;
5   Et pour bien faire sa galette,
S'enferme seule en sa chambrette.

D'abord elle se décrassa
Les mains, les bras et le visage,
Et prit un corps• d'argent que vite elle laça
10   Pour dignement faire l'ouvrage
Qu'aussitôt elle commença.

On dit qu'en travaillant un peu trop à la hâte,
De son doigt par hasard il tomba dans la pâte
Un de ses anneaux de grand prix ;
15 Mais ceux qu'on tient savoir le fin de cette histoire
Assurent que par elle exprès il y fut mis ;
Et pour moi franchement je l'oserais bien croire,
Fort sûr que, quand le prince à sa porte aborda
Et par le trou la regarda,
20   Elle s'en était aperçue :
Sur ce point la femme est si drue•
Et son œil va si promptement
Qu'on ne peut la voir un moment
Qu'elle ne sache qu'on l'a vue.
25 Je suis bien sûr encor, et j'en ferais serment,
Qu'elle ne douta point que de son jeune amant
La bague ne fût bien reçue.

On ne pétrit jamais un si friand morceau,
Et le prince trouva la galette si bonne
30 Qu'il ne s'en fallut rien que d'une faim gloutonne
Il n'avalât aussi l'anneau.
Quand il en vit l'émeraude admirable,
Et du jonc d'or le cercle étroit,
Qui marquait la forme du doigt,
35 Son cœur en fut touché d'une joie incroyable ;

---

corps : corsage.
drue : vive.

Une interprétation cinématographique de Peau-d'Ane. Scène
extraite du film de J. Demy (1970). *Photo R. Dagieu.*

Sous son chevet il le mit à l'instant
   Et, son mal toujours augmentant,
Les médecins, sages d'expérience,
En le voyant maigrir de jour en jour,
Jugèrent tous, par leur grande science,
   Qu'il était malade d'amour.

Comme l'hymen•, quelque mal qu'on en die•,
Est un remède exquis• pour cette maladie,
   On conclut à le marier ;

---

hymen : mariage.
die : dise.
exquis : excellent.

45   Il s'en fit quelque temps prier,
   Puis dit : « Je le veux bien, pourvu que l'on me donne

         En mariage la personne
         Pour qui cet anneau sera bon•. »
         A cette bizarre demande,
50 De la reine et du roi la surprise fut grande ;
   Mais il était si mal qu'on n'osa dire non.

         Voilà donc qu'on se met en quête
   De celle que l'anneau, sans nul égard du sang,
         Doit placer dans un si haut rang ;
55   Il n'en est point qui ne s'apprête
         A venir présenter son doigt
         Ni qui veuille céder son droit.

   Le bruit ayant couru que pour prétendre au prince,
         Il faut avoir le doigt bien mince,
60   Tout charlatan, pour être bienvenu,
   Dit qu'il a le secret de le rendre menu ;
         L'une, en suivant son bizarre caprice,
         Comme une rave le ratisse ;
         L'autre en coupe un petit morceau ;
65 Une autre en le pressant croit qu'elle l'apetisse ;
         Et l'autre, avec de certaine eau,
   Pour le rendre moins gros en fait tomber la peau ;
         Il n'est enfin point de manœuvre
         Qu'une dame ne mette en œuvre,
70 Pour faire que son doigt cadre bien à l'anneau.

   L'essai fut commencé par les jeunes princesses,
         Les marquises et les duchesses ;
         Mais leurs doigts, quoique délicats•,
         Étaient trop gros et n'entraient pas.
75   Les comtesses, et les baronnes,
         Et toutes les nobles personnes,

être bon à quelqu'un : lui aller (en parlant d'un vêtement...).
délicats : fins, menus.

Comme elles tour à tour présentèrent leur main,
          Et la présentèrent en vain.
          Ensuite vinrent les grisettes•
0   Dont les jolis et menus doigts,
          Car il en est de très bien faites,
Semblèrent à l'anneau s'ajuster quelquefois.
Mais la bague, toujours trop petite ou trop ronde,
D'un dédain presque égal rebutait• tout le monde.

5   Il fallut en venir enfin
          Aux servantes, aux cuisinières,
          Aux tortillons•, aux dindonnières,
          En un mot à tout le fretin,
          Dont les rouges et noires pattes,
0 Non moins que les mains délicates,
Espéraient un heureux destin.
          Il s'y présenta mainte fille
          Dont le doigt, gros et ramassé,
Dans la bague du prince eût aussi peu passé
5   Qu'un câble au travers d'une aiguille.

          On crut enfin que c'était fait,
          Car il ne restait, en effet,
Que la pauvre Peau-d'Ane au fond de la cuisine.
          Mais comment croire, disait-on,
00   Qu'à régner le ciel la destine !
          Le prince dit : « Et pourquoi non ?
Qu'on la fasse venir. » Chacun se prit à rire,
Criant tout haut : « Que veut-on dire,
De faire entrer ici cette sale guenon ? »
05 Mais lorsqu'elle tira de dessous sa peau noire
Une petite main qui semblait de l'ivoire
          Qu'un peu de pourpre a coloré,
          Et que de la bague fatale•,

---

grisettes : filles de basse condition.
rebutait : écartait, refusait.
tortillons : petites servantes.
fatale : marquée par le destin.

D'une justesse sans égale,
110   Son petit doigt fut entouré,
La cour fut dans une surprise
Qui ne peut pas être comprise.

On la menait au roi dans ce transport• subit ;
Mais elle demanda qu'avant que de paraître
115   Devant son seigneur et son maître,
On lui donnât le temps de prendre un autre habit.
De cet habit, pour la vérité dire,
De tous côtés on s'apprêtait à rire ;
Mais lorsqu'elle arriva dans les appartements,
120   Et qu'elle eut traversé les salles
Avec ses pompeux vêtements
Dont les riches beautés n'eurent jamais d'égales ;
Que ses aimables cheveux blonds
Mêlés de diamants dont la vive lumière
125   En faisait autant de rayons,
Que ses yeux bleus, grands, doux et longs,
Qui, pleins d'une majesté fière,
Ne regardent jamais sans plaire et sans blesser•,
Et que sa taille enfin, si menue et si fine
130 Qu'avecque ses deux mains on eût pu l'embrasser•,
Montrèrent leurs appas et leur grâce divine,
Des dames de la cour et de leurs ornements
Tombèrent tous les agréments.

Dans la joie et le bruit de toute l'assemblée,
135   Le bon roi ne se sentait pas
De voir sa bru posséder tant d'appas ;
La reine en était affolée,
Et le prince, son cher amant,
De cent plaisirs l'âme comblée,
140 Succombait sous le poids de son ravissement.

---

transport : vif mouvement d'enthousiasme.
blesser : provoquer un sentiment d'amour.
embrasser : on aurait pu entourer sa taille avec les mains.

Pour l'hymen, aussitôt, chacun prit ses mesures ;
Le monarque en pria tous les rois d'alentour,
    Qui, tous brillants de diverses parures,
Quittèrent leurs états pour être à ce grand jour.
45 On en vit arriver des climats• de l'aurore,
    Montés sur de grands éléphants ;
    Il en vint du rivage more•,
    Qui, plus noirs et plus laids encore,
    Faisaient peur aux petits enfants ;
50   Enfin, de tous les coins du monde,
    Il en débarque et la cour en abonde.

    Mais nul prince, nul potentat
    N'y parut avec tant d'éclat
    Que le père de l'épousée,
55   Qui d'elle autrefois amoureux
Avait, avec le temps, purifié les feux•
    Dont son âme était embrasée.
Il en avait banni tout désir criminel
    Et de cette odieuse flamme•
60   Le peu qui restait dans son âme
N'en rendait que plus vif son amour paternel.
    Dès qu'il la vit : « Que béni soit le ciel
    Qui veut bien que je te revoie,
Ma chère enfant », dit-il, et, tout pleurant de joie,
65   Courut tendrement l'embrasser ;
Chacun à son bonheur voulut s'intéresser,
Et le futur époux était ravi d'apprendre
Que d'un roi si puissant il devenait le gendre.

    Dans ce moment la marraine arriva,
70   Qui raconta toute l'histoire,
    Et par son récit acheva
    De combler Peau-d'Ane de gloire.

---

climats : pays.
rivage more : l'Afrique.
les feux, la flamme : l'amour.

Questions

● **A propos du texte :**

1/ *Relevez les éléments féériques. Sont-ils nombreux ? Sont-ils indispensables au récit ?*

2/ a/ *L'auteur ne rompt-il pas parfois par un ton humoristique l'atmosphère de conte de fées ?*
b/ *Montrez que l'auteur intervient aussi dans le récit à plusieurs reprises pour faire la satire de certains milieux et de certaines personnes.*

3/ *Dans quels vers voit-on que la chambre où Peau-d'Ane se cache ne convient pas à la beauté majestueuse de ses vêtements ?*

4/ a/ *Résumez en quelques lignes l'épisode de l'essai de la bague.*
b/ *De quel épisode d'un autre conte de Perrault peut-on le rapprocher ?*

● **A partir du texte :**

A/ a/ *Connaissiez-vous ce conte ? Si oui, était-ce sous cette forme ?*
b/ *Comparez le texte de Perrault avec celui d'éditions destinées aux enfants : par exemple, collection* Rouge et Or, *éd. G.P. et collection* Grand A, *éd. F. Nathan. Relevez les principales différences.*

B/ *Un procès : Charles Perrault prend connaissance d'une de ces éditions pour enfants ; il attaque l'éditeur dans un procès pour trahison de son texte. Après avoir établi une liste des arguments que peuvent présenter les avocats de l'accusation et de la défense, jouez ce procès.*

C/ *Le conte bifurque vers une autre voie : si une autre que Peau-d'Ane avait eu le doigt assez fin... Imaginez une suite à partir de cette donnée.*

D/ *« Il s'y présenta mainte fille... qu'un câble au travers d'une aiguille. » : transformez cette comparaison humoristique en d'autres comparaisons amusantes ou même burlesques.*

LES SOUHAITS RIDICULES

IL était une fois un pauvre bûcheron
      Qui, las de sa pénible vie,
      Avait, disait-il, grande envie
De s'aller reposer aux bords de l'Achéron•,
5   Représentant•, dans sa douleur profonde,
      Que, depuis qu'il était au monde,
      Le ciel cruel n'avait jamais
    Voulu remplir un seul de ses souhaits.

Un jour que, dans le bois, il se mit à se plaindre,
10 A lui, la foudre en main, Jupiter s'apparut•.
      On aurait peine à bien dépeindre
      La peur que le bonhomme en eut.
   « Je ne veux rien, dit-il, en se jetant par terre,
   Point de souhaits, point de tonnerre,
15   Seigneur, demeurons but à but•.
    – Cesse d'avoir aucune crainte ;
Je viens, dit Jupiter, touché de ta complainte•,
      Te faire voir le tort que tu me fais.
      Écoute donc. Je te promets,
20 Moi qui du monde entier suis le souverain maître,
D'exaucer pleinement les trois premiers souhaits
Que tu voudras former sur quoi que ce puisse être.
      Vois ce qui peut te rendre heureux,
      Vois ce qui peut te satisfaire ;
25 Et, comme ton bonheur dépend tout de tes vœux,
      Songes-y bien, avant que de les faire. »

---

l'Achéron : le bûcheron appelle la mort ; l'Achéron était dans
l'Antiquité le fleuve des Enfers.
représentant : se représentant, c'est-à-dire repassant dans son
esprit.
s'apparut : aujourd'hui : apparut.
but à but : sans aucun avantage l'un sur l'autre.
complainte : plainte.

A ces mots, Jupiter dans les cieux remonta,
Et le gai bûcheron, embrassant sa falourde•,
Pour retourner chez lui sur son dos la jeta.
30 Cette charge jamais ne lui parut moins lourde.
    « Il ne faut pas, disait-il en trottant,
    Dans tout ceci, rien faire à la légère ;
      Il faut, le cas est important,
      En prendre avis de notre ménagère.
35 Çà, dit-il, en entrant sous son toit de fougère,
    Faisons, Fanchon, grand feu, grand chère,
      Nous sommes riches à jamais,
    Et nous n'avons qu'à faire des souhaits. »
Là-dessus, tout au long, le fait il lui raconte.
40   A ce récit, l'épouse vive et prompte
Forma dans son esprit mille vastes projets ;
    Mais, considérant l'importance
    De s'y conduire avec prudence :
    « Blaise, mon cher ami, dit-elle à son époux,
45   Ne gâtons rien par notre impatience ;
    Examinons bien entre nous
    Ce qu'il faut faire en pareille occurrence• ;
Remettons à demain notre premier souhait
    Et consultons notre chevet•,
50 – Je l'entends bien ainsi, dit le bonhomme Blaise ;
Mais va tirer du vin derrière ces fagots. »
A son retour il but et, goûtant à son aise
    Près d'un grand feu la douceur du repos,
Il dit, en s'appuyant sur le dos de sa chaise :
55   « Pendant que nous avons une si bonne braise,
Qu'une aune de boudin viendrait bien à propos ! »
A peine acheva-t-il de prononcer ces mots
Que sa femme aperçut, grandement étonnée,
    Un boudin fort long qui, partant

---

embrassant sa falourde : portant dans ses bras son gros fagot
de bûches.
occurrence : circonstance, événement inattendu.
consultons notre chevet : rapprochez de : la nuit porte conseil.

D'un des coins de la cheminée,
S'approchait d'elle en serpentant.
Elle fit un cri dans l'instant ;
Mais, jugeant que cette aventure

Etudiez les détails de cet intérieur paysan et les attitudes des personnages. Gravure d'un artiste du XIXᵉ siècle illustrant ce conte. *Bibl. Nat. Paris.*

Avait pour cause le souhait
65   Que, par bêtise toute pure,
Son homme imprudent avait fait,
Il n'est point de pouille• et d'injure
Que de dépit et de courroux
Elle ne dît au pauvre époux.
70 « Quand on peut, disait-elle, obtenir un empire,
De l'or, des perles, des rubis,
Des diamants, de beaux habits,
Est-ce alors du boudin qu'il faut que l'on désire ?
– Eh bien, j'ai tort, dit-il, j'ai mal placé mon choix,
75   J'ai commis une faute énorme :
Je ferai mieux une autre fois.
   – Bon, bon, dit-elle, attendez-moi sous l'orme•,
Pour faire un tel souhait, il faut être bien bœuf• ! »
L'époux, plus d'une fois, emporté de colère,
80 Pensa• faire tout bas le souhait d'être veuf,
Et peut-être, entre nous, ne pouvait-il mieux faire :
« Les hommes, disait-il, pour souffrir sont bien nés !
Peste soit du boudin et du boudin encore ;
      Plût à Dieu, maudite pécore,
85   Qu'il te pendît au bout du nez ! »
La prière aussitôt du ciel fut écoutée,
Et, dès que le mari la parole lâcha,
      Au nez de l'épouse irritée
      L'aune de boudin s'attacha.
90 Ce prodige imprévu grandement le fâcha.
Fanchon était jolie, elle avait bonne grâce,
Et pour dire sans fard• la vérité du fait,
      Cet ornement en cette place
      Ne faisait pas un bon effet ;

---

pouille : reproche injurieux.
attendez-moi sous l'orme : par cette expression on laisse entendre qu'il ne faut pas compter sur les promesses de quelqu'un.
être bien bœuf : être très stupide.
pensa : faillit, fut sur le point de.
sans fard : sans hypocrisie.

95 Si ce n'est qu'en pendant sur le bas du visage,
        Il l'empêchait de parler aisément,
        Pour un époux merveilleux avantage,
    Et si grand qu'il pensa, dans cet heureux moment,
        Ne souhaiter rien davantage.
00   « Je pourrais bien, disait-il à part soi,
        Après un malheur si funeste,
        Avec le souhait qui me reste,
        Tout d'un plein saut• me faire roi.
    Rien n'égale, il est vrai, la grandeur souveraine ;
05   Mais, encore faut-il songer
        Comment serait faite la reine,
    Et dans quelle douleur ce serait la plonger
        De l'aller placer sur un trône
        Avec un nez plus long qu'une aune.
10   Il faut l'écouter sur cela,
        Et qu'elle-même elle soit la maîtresse
        De devenir une grande princesse
        En conservant l'horrible nez qu'elle a,
        Ou de demeurer bûcheronne
15   Avec un nez comme une autre personne,
    Et tel qu'elle l'avait avant ce malheur-là. »

        La chose bien examinée,
    Quoiqu'elle sût d'un sceptre et la force et l'effet,
        Et que, quand on est couronnée,
20   On a toujours le nez bien fait ;
    Comme au désir de plaire il n'est rien qui ne cède,
        Elle aima mieux garder son bavolet•
        Que d'être reine et d'être laide.

    Ainsi le bûcheron ne changea point d'état,
25   Ne devint point grand potentat,
        D'écus ne remplit point sa bourse,
    Trop heureux d'employer le souhait qui restait,

---

d'un plein saut : immédiatement.
bavolet : petite coiffe paysanne.

Faible bonheur, pauvre ressource,
A remettre sa femme en l'état qu'elle était.

Bien est donc vrai qu'aux hommes misérables,
Aveugles, imprudents, inquiets•, variables,
Pas n'appartient de faire des souhaits,
Et que peu d'entre eux sont capables
De bien user des dons que le ciel leur a faits.

Questions

● **A propos du texte :**

1/ **a**/ *Dites clairement quels sont les trois vœux formulés par le bûcheron et sa femme.*
b/ *Précisez ceux qui sont involontaires et celui qui est voulu.*
c/ *Quel effet comique résulte de ces trois souhaits ?*

2/ *Relevez dans les propos de ces campagnards des mots et expressions familiers ; montrez-en le pittoresque.*

● **A partir du texte :**

A/ *Trois souhaits gaspillés : vous avez droit à trois souhaits mais, comme le bûcheron, vous ne savez pas profiter de cette chance et vous devez annuler les souhaits formulés.*

B/ *Trois souhaits bien employés : cette fois, au contraire, vous utilisez habilement cette possibilité pour demander ce que vous désirez le plus. Énumérez ces souhaits qui devront être de plus en plus importants.*

C/ *La femme du bûcheron choisit d'être reine et laide : imaginez une scène comique à la cour de Fanchon, la reine au nez orné d'un boudin.*

D/ *Représentez en une bande dessinée de quatre ou cinq dessins les principaux épisodes de ce conte.*

---

inquiets : sans repos, agités.

LA BELLE AU BOIS DORMANT

Avant de commencer la lecture de l'extrait ci-dessous, rappelez-vous le début de ce conte célèbre.

Au bout de cent ans, le fils du roi qui régnait alors, et qui était d'une autre famille que la princesse endormie, étant allé à la chasse de ce côté-là, demanda ce que c'était que des tours qu'il voyait au-dessus d'un
5 grand bois fort épais. Chacun lui répondit selon qu'il en avait ouï parler : les uns disaient que c'était un vieux château où il revenait des esprits ; les autres que tous les sorciers de la contrée y faisaient leur sabbat.• La plus commune opinion était qu'un ogre y
10 demeurait, et que là il emportait tous les enfants qu'il pouvait attraper, pour les pouvoir manger à son aise, et sans qu'on le pût suivre, ayant seul le pouvoir de se faire un passage au travers du bois.
Le prince ne savait qu'en croire, lorsqu'un vieux pay-
15 san prit la parole, et lui dit : « Mon prince, il y a plus de cinquante ans que j'ai ouï dire à mon père qu'il y avait dans ce château une princesse, la plus belle du monde ; qu'elle y devait dormir cent ans, et qu'elle serait réveillée par le fils d'un roi, à qui elle était
20 réservée. »
Le jeune prince, à ce discours, se sentit tout de feu ; il crut, sans balancer•, qu'il mettrait fin à une si belle aventure ; et, poussé par l'amour et par la gloire, il résolut de voir sur-le-champ ce qui en était. A peine
25 s'avança-t-il vers le bois, que tous ces grands arbres, ces ronces et ces épines s'écartèrent d'elles-mêmes pour le laisser passer : il marche vers le château, qu'il voyait au bout d'une grande avenue où

---

sabbat : assemblée nocturne des sorciers.
sans balancer : sans hésiter.

il entra et, ce qui le surprit un peu, il vit que personne
30 de ses gens ne l'avait pu suivre, parce que les arbres
s'étaient rapprochés dès qu'il avait été passé. Il ne
laissa• pas de continuer son chemin : un prince jeune
et amoureux est toujours vaillant. Il entra dans une
grande avant-cour où tout ce qu'il vit d'abord était
35 capable de le glacer de crainte : c'était un silence
affreux, l'image de la mort s'y présentait partout, et
ce n'étaient que des corps étendus d'hommes et
d'animaux, qui paraissaient morts. Il reconnut pourtant bien, au nez bourgeonné et à la face vermeille
40 des suisses, qu'ils n'étaient qu'endormis ; et leurs
tasses, où il y avait encore quelques gouttes de vin,
montraient assez qu'ils s'étaient endormis en buvant.
Il passe une grande cour pavée de marbre ; il monte
l'escalier ; il entre dans la salle des gardes, qui
45 étaient rangés en haie, la carabine• sur l'épaule et
ronflant de leur mieux. Il traverse plusieurs chambres
pleines de gentilshommes et de dames, dormant
tous, les uns debout, les autres assis ; il entre dans
une chambre toute dorée, et il vit sur un lit, dont les
50 rideaux étaient ouverts de tous côtés, le plus beau
spectacle qu'il eût jamais vu : une princesse qui
paraissait avoir quinze ou seize ans, et dont l'éclat
resplendissant avait quelque chose de lumineux et
de divin. Il s'approcha en tremblant et en admirant, et
55 se mit à genoux auprès d'elle.
Alors, comme la fin de l'enchantement était venue, la
princesse s'éveilla ; et, le regardant avec des yeux
plus tendres qu'une première vue ne semblait le
permettre : « Est-ce vous, mon prince ? lui dit-elle,
60 vous vous êtes bien fait attendre. » Le prince,
charmé de ces paroles, et plus encore de la manière

---

il ne laissa pas de : il ne manqua pas de...
carabine : ce n'est pas l'arme connue aujourd'hui sous ce nom,
mais une sorte d'arquebuse déjà démodée au XVIIᵉ siècle.

dont elles étaient dites, ne savait comment lui témoigner sa joie et sa reconnaissance ; il l'assura qu'il
l'aimait plus que lui-même. Ses discours furent mal
65 rangés•, ils en plurent davantage : peu d'éloquence,
beaucoup d'amour. Il était plus embarrassé qu'elle,
et l'on ne doit pas s'en étonner : elle avait eu le
temps de songer à ce qu'elle aurait à lui dire, car il y
a apparence (l'histoire n'en dit pourtant rien) que la
70 bonne fée•, pendant un si long sommeil, lui avait
procuré le plaisir des songes agréables. Enfin, il y
avait quatre heures qu'ils se parlaient, et ils ne
s'étaient pas encore dit la moitié des choses qu'ils
avaient à se dire.
75 Cependant, tout le palais s'était réveillé avec la
princesse : chacun songeait à faire sa charge•, et,
comme ils n'étaient pas tous amoureux, ils mouraient
de faim ; la dame d'honneur, pressée comme les
autres, s'impatienta et dit tout haut à la princesse
80 que la viande• était servie. Le prince aida à• la princesse à se lever ; elle était tout habillée et fort
magnifiquement ; mais il se garda bien de lui dire
qu'elle était habillée comme ma mère-grand, et
qu'elle avait un collet monté• ; elle n'en était pas
85 moins belle.
Ils passèrent dans un salon de miroirs, et y soupè-
rent, servis par les officiers de la princesse ; les violons et les hautbois jouèrent de vieilles pièces, mais
excellentes, quoiqu'il y eût près de cent ans qu'on ne
90 les jouât plus ; et après souper, sans perdre de

---

mal rangés : maladroits en raison de l'émotion.
la bonne fée : la fée qui a transformé en sommeil le mauvais
sort jeté par la vieille fée (rappelez-vous le début du conte).
faire sa charge : exercer sa fonction, accomplir sa tâche.
la viande : le repas.
aida à : aujourd'hui construction directe : aida la princesse.
collet monté : sorte de grand col de dentelle maintenu ouvert
derrière la tête par une armature de fils de fer ou de carton ; la
mode en était passée à l'époque de Perrault.

temps, le grand aumônier les maria dans la chapelle
du château, et la dame d'honneur leur tira le rideau :
ils dormirent peu, la princesse n'en avait pas grand
besoin, et le prince la quitta dès le matin pour retour-
95 ner à la ville où son père devait être en peine de lui.
Le prince lui dit qu'en chassant il s'était perdu dans
la forêt et qu'il avait couché dans la hutte d'un char-
bonnier, qui lui avait fait manger du pain noir et du
fromage. Le roi son père, qui était bon homme, le
100 crut ; mais sa mère n'en fut pas bien persuadée et,
voyant qu'il allait presque tous les jours à la chasse
et qu'il avait toujours une raison en main pour s'ex-
cuser quand il avait couché deux ou trois nuits

dehors, elle ne douta plus qu'il n'eût quelque amou-
05 rette ; car il vécut avec la princesse plus de deux ans
entiers et en eut deux enfants, dont le premier, qui
fut une fille, fut nommée l'Aurore, et le second un
fils, qu'on nomma le Jour, parce qu'il paraissait
encore plus beau que sa sœur.

Questions

● **A propos du texte :**

1/ *L'histoire pourrait s'achever ici ; pourtant elle a
une suite : rapellez-la.*

2/ a/ *Montrez combien cet épisode est tout à fait
dans le ton des contes de fées.*

b/ *Mais en même temps l'auteur teinte d'humour
cette féeric : relevez quelques exemples de ce ton
moqueur à l'égard des personnages secondaires
mais aussi pour les deux héros.*

● **A partir du texte :**

A/ *Imaginez une nouvelle intervention de la
méchante fée.*

B/ *Inventez le dialogue entre les personnages
secondaires à leur réveil, puis jouez la scène.*

C/ *Essayez de vous procurer une gravure ou une
photographie d'un château qui, pour vous, pourrait
être celui du conte.*

Remarquez la mise en valeur des personnages et la précision
du décor dans cette gravure de Gustave Doré (XIXᵉ siècle), illustrant la rencontre du Prince et de la Belle. *Ph. Hachette.*

LA BARBE-BLEUE

Une jeune fille épouse un homme à la barbe bleue, malgré sa laideur et malgré le mystère qui entoure le sort de ses femmes précédentes. Contraint de s'absenter, il met tout son château à la disposition de sa nouvelle épouse, lui interdisant toutefois l'accès à une pièce. Mais, succombant à la curiosité, elle découvre que la chambre interdite contient les corps des femmes de la Barbe-Bleue.

La Barbe-Bleue revint de son voyage dès le soir même, et dit qu'il avait reçu des lettres dans le chemin, qui lui avaient appris que l'affaire pour laquelle il était parti venait d'être terminée à son avantage. Sa
5 femme fit tout ce qu'elle put pour lui témoigner qu'elle était ravie de son prompt retour.

Le lendemain, il lui redemanda les clefs et elle les lui donna, mais d'une main si tremblante qu'il devina sans peine tout ce qui s'était passé. « D'où vient, lui
10 dit-il, que la clef du cabinet• n'est point avec les autres ? – Il faut, dit-elle, que je l'aie laissée là-haut sur ma table. – Ne manquez pas, dit la Barbe-Bleue, de me la donner tantôt•. »

Après plusieurs remises•, il fallut apporter la clef. La
15 Barbe-Bleue, l'ayant considérée, dit à sa femme : « Pourquoi y a-t-il du sang sur cette clef ? – Je n'en sais rien, répondit la pauvre femme, plus pâle que la mort. – Vous n'en savez rien, reprit la Barbe-Bleue ; je le sais bien, moi : vous avez voulu entrer dans le
20 cabinet ! Eh bien ! madame, vous y entrerez et irez prendre votre place auprès des dames que vous y avez vues. »

---

cabinet : c'était la pièce la plus retirée d'un appartement.
tantôt : bientôt.
remise : action de remettre à plus tard.

Elle se jeta aux pieds de son mari, en pleurant et en
lui demandant pardon, avec toutes les marques d'un
5 vrai repentir de n'avoir pas été obéissante. Elle aurait
attendri un rocher, belle et affligée comme elle était ;
mais la Barbe-Bleue avait le cœur plus dur qu'un
rocher. « Il faut mourir, madame, lui dit-il, et tout à
l'heure•. – Puisqu'il faut mourir, répondit-elle, en le
10 regardant les yeux baignés de larmes, donnez-moi
un peu de temps pour prier Dieu. – Je vous donne un
demi-quart d'heure, reprit la Barbe-Bleue, mais pas
un moment davantage. »
Lorsqu'elle fut seule, elle appela sa sœur et lui dit :
15 « Ma sœur Anne (car elle s'appelait ainsi), monte, je
te prie, sur le haut de la tour, pour voir si mes frères
ne viennent point : ils m'ont promis qu'ils me vien-
draient voir aujourd'hui ; et, si tu les vois, fais-leur
signe de se hâter. » La sœur Anne monta sur le haut
20 de la tour, et la pauvre affligée lui criait de temps en
temps : *« Anne, ma sœur Anne, ne vois-tu rien
venir ? »* Et la sœur Anne lui répondait : *« Je ne vois
rien que le soleil qui poudroie• et l'herbe qui verdoie. »*
25 Cependant la Barbe-Bleue, tenant un grand coutelas
à sa main, criait de toute sa force à sa femme :
« Descends vite, ou je monterai là-haut. – Encore un
moment, s'il vous plaît », lui répondait sa femme ; et
aussitôt elle criait tout bas : *« Anne, ma sœur Anne,
30 ne vois-tu rien venir ? »* Et la sœur Anne répondait :
*« Je ne vois rien que le soleil qui poudroie et l'herbe
qui verdoie. »*
« Descends donc vite, criait la Barbe-Bleue, ou je
monterai là-haut. – Je m'en vais », répondait sa
35 femme ; et puis elle criait : *« Anne, ma sœur Anne,*

---

tout à l'heure : immédiatement.
poudroie : le soleil fait miroiter les grains de poussière en
suspension dans l'air.

ne vois-tu rien venir ? – Je vois, répondit la sœur
Anne, une grosse poussière qui vient de ce côté-ci.
– Sont-ce mes frères ? – Hélas ! non, ma sœur, c'est
un troupeau de moutons. – Ne veux-tu pas des-
60 cendre ? criait la Barbe-Bleue. – Encore un
moment », répondait sa femme ; et puis elle criait :
« *Anne, ma sœur Anne, ne vois-tu rien venir ?* – Je
vois, répondit-elle, deux cavaliers qui viennent de ce
côté-ci, mais ils sont bien loin encore... Dieu soit
65 loué, s'écria-t-elle un moment après, ce sont mes
frères ; je leur fais signe tant que je puis de se
hâter. »
La Barbe-Bleue se mit à crier si fort que toute la
maison en trembla. La pauvre femme descendit et
70 alla se jeter à ses pieds tout éplorée et tout écheve-
lée. « Cela ne sert de rien, dit la Barbe-Bleue, il faut

mourir. » Puis, la prenant d'une main par les cheveux et de l'autre levant le coutelas en l'air, il allait lui abattre la tête... »

Questions

● **A propos du texte :**

1/ a/ *Montrez l'atmosphère de « suspense » créée dans ce passage, en étudiant attentivement le contenu de chaque réponse d'Anne et celui de chaque intervention de la Barbe-Bleue.*

b/ *Quel effet produit la répétition de la question : « Anne, ma sœur Anne, ne vois-tu rien venir ? »*

2/ *Rappelez comment se termine le conte.*

● **A partir du texte :**

A/ *Jouez cette scène à trois personnages : la Barbe-Bleue, sa femme et Anne ; n'oubliez pas les gestes et attitudes caractéristiques de chacun ; le décor doit évoquer les trois niveaux du château où l'action se déroule simultanément.*

B/ *La réponse d'Anne : « Je ne vois rien que le soleil qui poudroie et l'herbe qui verdoie » : trouvez une ou deux autres formules poétiques exprimant que personne n'arrive pour secourir la femme de la Barbe-Bleue.*

C/ *Dessinez face à face, pour les opposer, le château de la Belle au bois dormant et celui de la Barbe-Bleue.*

D/ *Anatole France a pris la défense du personnage de la Barbe-Bleue : vous êtes Anatole France et vous présentez devant vos camarades tous les griefs que la Barbe-Bleue a contre ses épouses successives.*

Château de Tiffauges (xiiie siècle) ayant appartenu à Gilles de Rais, cruel gentilhomme breton qui aurait pu servir de modèle pour ce conte. *Bibl. Nat. Paris.*

LE MAISTRE CHAT,

OU

LE CHAT BOTTE'.

CONTE.

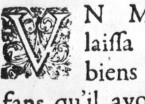 N Meusnier ne laissa pour tout biens à trois en-fans qu'il avoit, que son

Vignette et texte de l'édition originale de 1697. Étudiez cette gravure contemporaine de Perrault. *Bibl. Nat. Paris.*

LE MAITRE• CHAT
ou LE CHAT BOTTÉ

Un meunier ne laissa pour tous biens à trois enfants qu'il avait, que son moulin, son âne et son chat. Les partages furent bientôt faits ; ni le notaire, ni le procureur• n'y furent point appelés. Ils auraient eu bien-
5 tôt mangé tout le pauvre patrimoine.

L'aîné eut le moulin, le second eut l'âne et le plus jeune n'eut que le chat. Ce dernier ne pouvait se consoler d'avoir un si pauvre lot : « Mes frères, disait-il, pourront gagner leur vie honnêtement• en se
10 mettant ensemble ; pour moi, lorsque j'aurai mangé mon chat et que je me serai fait un manchon de sa peau, il faudra que je meure de faim. »

Le chat, qui entendait ce discours, mais qui n'en fit pas semblant, lui dit d'un air posé et sérieux : « Ne
15 vous affligez point, mon maître, vous n'avez qu'à me donner un sac et me faire faire une paire de bottes pour aller dans les broussailles, et vous verrez que vous n'êtes pas si mal partagé• que vous croyez. »

Quoique le maître du chat ne fît pas grand fond
20 là-dessus•, il lui avait vu faire tant de tours de souplesse pour prendre des rats et des souris, comme quand il se pendait par les pieds ou qu'il se cachait dans la farine pour faire le mort•, qu'il ne désespéra

---

maître : même emploi plaisant que chez La Fontaine *(Maître corbeau, etc.),* mais le mot garde en plus sa signification de : celui qui commande, dirige.

procureur : homme de loi qui représentait en justice ceux qui plaidaient.

honnêtement : de façon satisfaisante.

vous n'êtes pas si mal partagé : vous n'avez pas reçu en partage « un si pauvre lot ».

ne pas faire grand fond sur une chose : ne pas y compter de façon ferme.

faire le mort : c'est ce qu'il fait dans la fable de La Fontaine : *Le Chat et un vieux rat.*

25 pas d'en être secouru dans sa misère. Lorsque le
chat eut ce qu'il avait demandé, il se botta brave-
ment• et, mettant son sac à son cou, il en prit les
cordons avec ses deux pattes de devant, et s'en alla
dans une garenne où il y avait grand nombre de
lapins. Il mit du son et des lacerons• dans son sac et,
30 s'étendant comme s'il eût été mort, il attendit que
quelque jeune lapin, peu instruit encore des ruses de
ce monde, vînt se fourrer dans son sac pour manger
ce qu'il y avait mis.

A peine fut-il couché, qu'il eut contentement : un
35 jeune étourdi de lapin entra dans son sac, et le
maître chat, tirant aussitôt les cordons, le prit et le
tua sans miséricorde. Tout glorieux• de sa proie, il
s'en alla chez le roi et demanda à lui parler. On le fit
monter à l'appartement de Sa Majesté, où, étant
40 entré, il fit une grande révérence au roi, et lui dit :
« Voilà, sire, un lapin de garenne que monsieur le
marquis de Carabas (c'était le nom qu'il lui prit en
gré• de donner à son maître) m'a chargé de vous
présenter de sa part. – Dis à ton maître, répondit le
45 roi, que je le remercie, et qu'il me fait plaisir. »

Une autre fois, il alla se cacher dans un blé•, tenant
toujours son sac ouvert ; et lorsque deux perdrix y
furent entrées, il tira les cordons et les prit toutes
deux. Il alla ensuite les présenter au roi, comme il
50 avait fait le lapin de garenne•. Le roi reçut encore
avec plaisir les deux perdrix et lui fit donner pour
boire.

Le chat continua ainsi pendant deux ou trois mois à
porter de temps en temps au roi du gibier de la

bravement : adroitement.
laceron ou laiteron : plante dont sont friands lapins et lièvres.
glorieux : fier.
il lui prit en gré : le nom qu'il lui plut de donner.
un blé : un champ de blé.
comme il avait fait le lapin de garenne : comme il l'avait fait
pour...

55 chasse de son maître. Un jour qu'il sut que le roi
devait aller à la promenade sur le bord de la rivière
avec sa fille, la plus belle princesse du monde, il dit à
son maître : « Si vous voulez suivre mon conseil,
votre fortune est faite : vous n'avez qu'à vous bai-
60 gner dans la rivière à l'endroit que je vous montrerai,
et ensuite me laisser faire. »
Le marquis de Carabas fit ce que son chat lui
conseillait, sans savoir à quoi cela serait bon. Dans le
temps qu'il se baignait, le roi vint à passer, et le chat
65 se mit à crier de toute sa force : « Au secours ! au
secours ! voilà monsieur le marquis de Carabas qui
se noie ! » A ce cri, le roi mit la tête à la portière et,
reconnaissant le chat qui lui avait apporté tant de fois
du gibier, il ordonna à ses gardes qu'on allât vite au
70 secours de monsieur le marquis de Carabas.
Pendant qu'on retirait le pauvre marquis de la rivière,
le chat s'approcha du carrosse et dit au roi que, dans
le temps que son maître se baignait, il était venu des
voleurs qui avaient emporté ses habits, quoiqu'il eût
75 crié au voleur de toute sa force ; le drôle• les avait
cachés sous une grosse pierre. Le roi ordonna aussitôt aux officiers de sa garde-robe• d'aller quérir un de
ses plus beaux habits pour monsieur le marquis de
Carabas. Le roi lui fit mille caresses• et, comme les
80 beaux habits qu'on venait de lui donner relevaient sa
bonne mine• (car il était beau et bien fait de sa personne), la fille du roi le trouva fort à son gré, et le
marquis de Carabas ne lui eut pas jeté deux ou trois
regards fort respectueux et un peu tendres, qu'elle
85 en devint amoureuse à la folie.
Le roi voulut qu'il montât dans son carrosse et qu'il

---

drôle : se dit d'un garçon décidé et déluré.
officiers de sa garde-robe : ceux qui ont pour office, pour
charge de s'occuper des vêtements du roi.
caresses : témoignages d'affection.
sa bonne mine : son aspect et sa physionomie agréables.

fût de la promenade. Le chat, ravi de voir que son dessein commençait à réussir, prit les devants et, ayant rencontré des paysans qui fauchaient un pré, il
90 leur dit : « *Bonnes gens qui fauchez, si vous ne dites au roi que le pré que vous fauchez appartient à monsieur le marquis de Carabas, vous serez tous hachés menu comme chair à pâté.* »
Le roi ne manqua pas à demander aux faucheux• à
95 qui était ce pré qu'ils fauchaient. « C'est à monsieur le marquis de Carabas », dirent-ils tous ensemble, car la menace du chat leur avait fait peur. « Vous avez là un bel héritage, dit le roi au marquis de Carabas. – Vous voyez, sire, répondit le Marquis ; c'est
100 un pré qui ne manque point de rapporter abondamment toutes les années. »
Le maître chat, qui allait toujours devant, rencontra des moissonneurs et leur dit : « *Bonnes gens qui moissonnez, si vous ne dites que tous ces blés*
105 *appartiennent à monsieur le marquis de Carabas, vous serez tous hachés menu comme chair à pâté.* »
Le roi, qui passa un moment après, voulut savoir à qui appartenaient tous les blés qu'il voyait. « C'est à monsieur le marquis de Carabas », répondirent les
110 moissonneurs, et le roi s'en réjouit encore avec le marquis. Le chat, qui allait devant le carrosse, disait toujours la même chose à tous ceux qu'il rencontrait ; et le roi était étonné des grands biens de monsieur le marquis de Carabas.
115 Le maître chat arriva enfin dans un beau château, dont le maître était un ogre, le plus riche qu'on ait jamais vu, car toutes les terres par où le roi avait passé étaient de la dépendance de ce château. Le chat, qui eut soin de s'informer qui était cet ogre et
120 ce qu'il savait faire, demanda à lui parler, disant qu'il n'avait pas voulu passer si près de son château sans

---

faucheux : faucheurs (reproduction d'une prononciation ancienne).

avoir l'honneur de lui faire la révérence. L'ogre le
reçut aussi civilement° que le peut un ogre et le fit
reposer. « On m'a assuré, dit le chat, que vous aviez
25 le don de vous changer en toute sorte d'animaux ;
que vous pouviez, par exemple, vous transformer en
lion, en éléphant. – Cela est vrai, répondit l'ogre
brusquement, et, pour vous le montrer, vous m'allez
voir devenir lion. » Le chat fut si effrayé de voir un
30 lion devant lui, qu'il gagna aussitôt les gouttières,
non sans peine et sans péril, à cause de ses bottes
qui ne valaient rien pour marcher sur les tuiles. Quelques temps après, le chat, ayant vu que l'ogre avait
quitté sa première forme, descendit et avoua qu'il
35 avait eu bien peur. « On m'a assuré encore, dit le
chat, mais je ne saurais le croire, que vous aviez
aussi le pouvoir de prendre la forme des plus petits
animaux, par exemple de vous changer en un rat, en
une souris : je vous avoue que je tiens cela tout à fait
40 impossible°. – Impossible ? reprit l'ogre, vous allez
voir » ; et en même temps il se changea en une souris qui se mit à courir sur le plancher. Le chat ne l'eut
pas plus tôt aperçue qu'il se jeta dessus et la mangea.
45 Cependant, le roi, qui vit en passant le beau château
de l'ogre, voulut entrer dedans. Le chat, qui entendit
le bruit du carrosse qui passait sur le pont-levis, courut au-devant et dit au roi : « Votre Majesté soit la
bienvenue dans le château de monsieur le marquis
50 de Carabas. – Comment, monsieur le marquis, s'écria
le roi, ce château est encore à vous ! Il ne se peut
rien de plus beau que cette cour et que tous ces
bâtiments qui l'environnent ; voyons les dedans°, s'il
vous plaît. »

---

civilement : avec politesse et amabilité.
je tiens cela impossible : je tiens cela pour tout à fait impossible.
les dedans : l'intérieur.

160 Le marquis donna la main à la jeune princesse ; et,
suivant le roi qui montait le premier, ils entrèrent
dans une grande salle où ils trouvèrent une magni-
fique collation• que l'ogre avait fait préparer pour ses
amis qui le devaient venir voir ce même jour-là, mais
165 qui n'avaient pas osé entrer, sachant que le roi y
était. Le roi, charmé des bonnes qualités de monsieur le marquis de Carabas, de même que sa fille,
qui en était folle, et voyant les grands biens qu'il
possédait, lui dit, après avoir bu cinq ou six coups :
170 « Il ne tiendra qu'à vous, monsieur le marquis, que
vous ne soyez mon gendre. » Le marquis, faisant de
grandes révérences, accepta l'honneur que lui faisait
le roi et, dès le même jour, épousa la princesse. Le
chat devint grand seigneur et ne courut plus après
175 les souris que pour se divertir.

Moralité

Quelque grand que soit l'avantage
De jouir d'un riche héritage
Venant à nous de père en fils,
Aux jeunes gens, pour l'ordinaire,
L'industrie• et le savoir-faire
Valent mieux que des biens acquis.

Autre moralité

Si le fils d'un meunier, avec tant de vitesse,
Gagne le cœur d'une princesse,
Et s'en fait regarder avec des yeux mourants,
C'est que l'habit, la mine et la jeunesse,
Pour inspirer de la tendresse,
N'en sont pas des moyens toujours indifférents.

---

collation : repas que l'on prend l'après-midi ou la nuit.
industrie : habileté. '

Questions

● **A propos du texte :**

1/ *La condition sociale du maître.du chat au début et à la fin du conte : montrez que le chat fait accomplir à son maître une rapide et brillante ascension dans la société.*

2/ *Le chat « botté » : les bottes ont-elles un rôle important dans ce conte ? Que pouvez-vous remarquer sur leur utilité dans un des deux passages où il en est question ?*

3/ *Un chat à l'activité intense :*
a/ *Comment est-elle montrée dans les moments successifs du récit ?*

b/ *De quelles aptitudes le chat fait-il preuve ? Est-il dans la tradition de les attribuer à cet animal ?*

4/ *Comment sont suggérées la grandeur et la richesse du domaine du marquis de Carabas ?*

● **A partir du texte :**

A/ *Que vous rappeliez-vous de cette histoire du* Chat botté, *connue sans doute depuis votre petite enfance ? Quels faits et quels détails aviez-vous complètement oubliés ?*

B/ *« Monsieur le marquis de Carabas » : à votre avis, quelle vertu possède ce nom choisi par le chat pour son maître ? Amusez-vous à en créer d'autres qui auraient la même valeur.*

C/ *La formule de menace : « vous serez tous hachés menu comme chair à pâté » : inventez-en d'autres aussi terrifiantes !*

D/ *« Avec des si... » : si tout n'avait pas obéi aux projets minutieux du chat, le cours du conte aurait été interrompu ou aurait bifurqué vers une autre voie ; par exemple :*
— si le fils du meunier n'avait pas eu confiance en son chat ;

— si le chat n'avait pas réussi à attraper du gibier...
Trouvez les autres « si » qui auraient pu provoquer
une interruption ou une bifurcation du récit.

E/ Recherchez dans votre bibliothèque ou celle du
collège une édition illustrée du « Chat botté » ; quels
personnages et quels épisodes ont été retenus par
l'illustrateur ? Personnellement en auriez-vous
choisi d'autres ?

Les personnages, en particulier le chat, vous sem-
blent-ils bien représentés ? Comment imaginiez-
vous le chat ?

Regardez l'attitude et l'expression de ces personnages et le
cadre champêtre de cette gravure illustrant *Les Fées. Bibl.
Nat. Paris.*

LES FÉES

Il était une fois une veuve qui avait deux filles ; l'aînée lui ressemblait si fort et d'humeur• et de visage
que qui la voyait voyait la mère. Elles étaient toutes
deux si désagréables et si orgueilleuses qu'on ne
pouvait vivre avec elles. La cadette, qui était le vrai
portrait de son père pour la douceur et pour l'honnê-
teté•, était avec cela une des plus belles filles qu'on
eût su voir. Comme on aime naturellement son sem-
blable, cette mère était folle de sa fille aînée, et en
même temps avait une aversion effroyable pour la
cadette. Elle la faisait manger à la cuisine et travailler
sans cesse.
Il fallait entre autre chose que cette pauvre enfant
allât deux fois le jour puiser de l'eau à une grande
demi-lieue du logis, et qu'elle en rapportât plein une
grande cruche.
Un jour qu'elle était à cette fontaine•, il vint à elle une
pauvre femme qui la pria de lui donner à boire. « Oui-
da•, ma bonne mère », dit cette belle fille ; et, rinçant
aussitôt sa cruche, elle puisa de l'eau au plus bel
endroit de la fontaine et la lui présenta, soutenant
toujours la cruche afin qu'elle bût plus aisément.
La bonne femme, ayant bu, lui dit : « Vous êtes si
belle, si bonne et si honnête•, que je ne puis m'em-
pêcher de vous faire un don (car c'était une fée qui
avait pris la forme d'une pauvre femme de village,
pour voir jusqu'où irait l'honnêteté de cette jeune
fille). Je vous donne pour don, poursuivit la fée, qu'à
chaque parole que vous direz, il vous sortira de la
bouche ou une fleur ou une pierre précieuse. »

---

humeur : caractère.
honnêteté, honnête : politesse, poli.
fontaine : source.
oui-da : certainement, bien volontiers.
honnête : poli.

Lorsque cette belle fille arriva au logis, sa mère la gronda de revenir si tard de la fontaine. « Je vous demande pardon, ma mère, dit cette pauvre fille, d'avoir tardé si longtemps » ; et, en disant ces mots,
35 il lui sortit de la bouche deux roses, deux perles et deux gros diamants. « Que vois-je là ! dit sa mère tout étonnée ; je crois qu'il lui sort de la bouche des perles et des diamants ; d'où vient cela, ma fille ? » (Ce fut là la première fois qu'elle l'appela sa fille.)
40 La pauvre enfant lui raconta naïvement• tout ce qui lui était arrivé, non sans jeter une infinité de diamants. « Vraiment, dit la mère, il faut que j'y envoie ma fille ; tenez, Fanchon, voyez ce qui sort de la bouche de votre sœur quand elle parle ; ne seriez-vous pas bien
45 aise• d'avoir le même don ? Vous n'avez qu'à aller puiser de l'eau à la fontaine et, quand une pauvre femme vous demandera à boire, lui en donner bien honnêtement. – Il me ferait beau voir•, répondit la brutale•, aller à la fontaine. – Je veux que vous y
50 alliez, reprit la mère, et tout à l'heure•. » Elle y alla, mais toujours en grondant. Elle prit le plus beau flacon d'argent qui fût dans le logis.
Elle ne fut pas plus tôt arrivée à la fontaine qu'elle vit sortir du bois une dame magnifiquement vêtue qui
55 vint lui demander à boire : c'était la même fée qui avait apparu à sa sœur, mais qui avait pris l'air et les habits d'une princesse, pour voir jusqu'où irait la malhonnêteté de cette fille. « Est-ce que je suis ici venue, lui dit cette brutale orgueilleuse, pour vous
60 donner à boire ? Justement j'ai apporté un flacon d'argent tout exprès pour donner à boire à Madame !

---

naïvement : avec naturel et simplicité.
aise : contente.
il me ferait beau voir : (ironique) il serait étrange qu'on me voie...
brutale : grossière, impolie.
tout à l'heure : immédiatement.

J'en suis d'avis, buvez à même si vous voulez.
– Vous n'êtes guère honnête, reprit la fée, sans se
mettre en colère ; eh bien ! puisque vous êtes si peu
65 obligeante, je vous donne pour don qu'à chaque
parole que vous direz, il vous sortira de la bouche ou
un serpent ou un crapaud. »
D'abord que• sa mère l'aperçut, elle lui cria : « Eh
bien, ma fille ! – Eh bien, ma mère ! lui répondit la
70 brutale, en jetant deux vipères et deux crapauds. – O
ciel ! s'écria la mère, que vois-je là ? C'est sa sœur
qui en est cause, elle me le paiera » ; et aussitôt elle
courut pour la battre.
La pauvre enfant s'enfuit et alla se sauver• dans la
75 forêt prochaine. Le fils du roi qui revenait de la
chasse la rencontra et, la voyant si belle, lui demanda
ce qu'elle faisait là toute seule et ce qu'elle avait à
pleurer. « Hélas ! monsieur, c'est ma mère qui m'a
chassée du logis. » Le fils du roi, qui vit sortir de sa
80 bouche cinq ou six perles et autant de diamants, la
pria de lui dire d'où cela lui venait. Elle lui conta toute
son aventure.
Le fils du roi en devint amoureux et, considérant
qu'un tel don valait mieux que tout ce qu'on pouvait
85 donner en mariage à une autre, l'emmena au palais
du roi son père, où il l'épousa.
Pour sa sœur, elle se fit tant haïr que sa propre mère
la chassa de chez elle ; et la malheureuse, après
avoir bien couru sans trouver personne qui voulût la
90 recevoir, alla mourir au coin d'un bois.

---

d'abord que : dès que.
se sauver : se mettre en sûreté.

Questions

● **A propos du texte :**

1/ « *Les fées* », *dit le titre : en réalité, combien y en a-t-il ?*

2/ *Distinguez avec précision la réaction de chacune des deux sœurs à la demande de la fée.*

3/ *Pourquoi la fée n'apparaît-elle pas sous les mêmes traits les deux fois ?*

4/ *Le schéma du conte : complétez les blancs du résumé suivant :*

I. – a : la cadette va... ; – b : emportant une... ; – c : ...lui demande de l'eau ; – d : la jeune fille... ; – e : la femme... ; – f : la jeune fille, parlant à sa mère,...

II. – a : Fanchon... ; – b : emportant... ; – c : ...; – d : ...; – e : ...; – f : Fanchon, répondant à sa mère,...

● **A partir du texte :**

A/ *En six vignettes environ, créez une bande dessinée qui représente ce conte.*

B/ *Inventez d'autres* « *dons* » *favorables ou défavorables que la fée pourrait faire.*

C/ *Donnez un nom à la sœur cadette.*

D/ *Imaginez une conversation entre les deux sœurs, l'une disant des paroles de plus en plus sympathiques et aimables, accompagnées de pierres de plus en plus précieuses, l'autre parlant de plus en plus méchamment et crachant des choses de plus en plus laides et repoussantes.*

CENDRILLON
ou LA PETITE PANTOUFLE DE VERRE

*Voici une malheureuse jeune fille, réduite au rôle de ser-
vante dans sa famille. Comme, sa tâche finie, elle s'assoit à
l'écart, dans les cendres de la cheminée, on l'appelle
Cucendron ou, plus aimablement, Cendrillon. Ses demi-
sœurs sont invitées au bal du prince. Cendrillon doit aider
à préparer les toilettes des deux jeunes filles.*

Enfin, l'heureux jour arriva ; on partit, et Cendrillon
les suivit des yeux le plus longtemps qu'elle put ;
lorsqu'elle ne les vit plus, elle se mit à pleurer. Sa
marraine, qui la vit tout en pleurs, lui demanda ce
5 qu'elle avait. « Je voudrais bien... je voudrais bien... »
Elle pleurait si fort qu'elle ne put achever. Sa marraine, qui était fée, lui dit : « Tu voudrais bien aller au
bal, n'est-ce pas ? – Hélas ! oui, dit Cendrillon en
soupirant. – Eh bien, seras-tu bonne fille ? dit sa
10 marraine, je t'y ferai aller. »
Elle la mena dans sa chambre et lui dit : « Va dans le
jardin et apporte-moi une citrouille. » Cendrillon alla
aussitôt cueillir la plus belle qu'elle put trouver et la
porta à sa marraine, ne pouvant deviner comment
15 cette citrouille la pourrait faire aller au bal. Sa marraine la creusa et, n'ayant laissé que l'écorce, la
frappa de sa baguette, et la citrouille fut aussitôt
changée en un beau carrosse tout doré.
Ensuite, elle alla regarder dans la souricière, où elle
20 trouva six souris toutes en vie ; elle dit à Cendrillon
de lever un peu la trappe de la souricière et, à
chaque souris qui sortait, elle lui donnait un coup de
sa baguette, et la souris était aussitôt changée en un
beau cheval ; ce qui fit un bel attelage de six che-
25 vaux, d'un beau gris de souris pommelé.
Comme elle était en peine de quoi elle ferait un

cocher : « Je vais voir, dit Cendrillon, s'il n'y a point quelque rat dans la ratière, nous en ferons un cocher. – Tu as raison, dit sa marraine, va voir. »
30 Cendrillon lui apporta la ratière, où il y avait trois gros rats. La fée en prit un d'entre les trois, à cause de sa maîtresse barbe, et, l'ayant touché, il fut changé en un gros cocher, qui avait une des plus belles moustaches qu'on ait jamais vues.

35 Ensuite, elle lui dit : « Va dans le jardin, tu y trouveras six lézards derrière l'arrosoir, apporte-les-moi. » Elle ne les eut pas plus tôt apportés que la marraine les changea en six laquais, qui montèrent aussitôt derrière le carrosse avec leurs habits chamarrés, et qui
40 s'y tenaient attachés, comme s'ils n'eussent fait autre chose toute leur vie.

La fée dit alors à Cendrillon : « Eh bien ! voilà de quoi aller au bal, n'es-tu pas bien aise• ? – Oui, mais est-ce que j'irai comme cela, avec mes vilains
45 habits ? » Sa marraine ne fit que la toucher avec sa baguette et en même temps ses habits furent changés en des habits de drap d'or et d'argent, tout chamarrés de pierreries ; elle lui donna ensuite une paire de pantoufles de verre, les plus jolies du monde.

50 Quand elle fut ainsi parée, elle monta en carrosse ; mais sa marraine lui recommanda sur toutes choses de ne pas passer minuit, l'avertissant que si elle demeurait au bal un moment davantage, son carrosse redeviendrait citrouille, ses chevaux des sou-
55 ris, ses laquais des lézards et que ses vieux habits reprendraient leur première forme. Elle promit à sa marraine qu'elle ne manquerait pas de sortir du bal avant minuit.

Elle part, ne se sentant pas de joie. Le fils du roi,
60 qu'on alla avertir qu'il venait d'arriver une grande princesse qu'on ne connaissait point, courut la rece-

---

aise : contente.

voir ; il lui donna la main à la descente du carrosse et la mena dans la salle où était la compagnie. Il se fit alors un grand silence ; on cessa de danser, et les violons ne jouèrent plus, tant on était attentif à contempler les grandes beautés de cette inconnue. On n'entendait qu'un bruit confus : « Ah ! qu'elle est belle ! » Le roi même, tout vieux qu'il était, ne laissait pas de° la regarder et de dire tout bas à la reine qu'il y avait longtemps qu'il n'avait vu une si belle et si aimable personne. Toutes les dames étaient attentives à considérer sa coiffure et ses habits, pour en avoir dès le lendemain de semblables, pourvu qu'il se trouvât des étoffes assez belles et des ouvriers assez habiles.

Le fils du roi la mit à la place la plus honorable et ensuite la prit pour la mener danser. Elle dansa avec tant de grâce qu'on l'admira encore davantage. On apporta une fort belle collation°, dont le jeune prince ne mangea point, tant il était occupé à la considérer. Elle alla s'asseoir auprès de ses sœurs et leur fit mille honnêtetés° : elle leur fit part° des oranges et des citrons que le prince lui avait donnés, ce qui les étonna fort, car elles ne la connaissaient point.

Lorsqu'elles causaient ainsi, Cendrillon entendit sonner onze heures trois quarts : elle fit aussitôt une grande révérence à la compagnie et s'en alla le plus vite qu'elle put. Dès qu'elle fut arrivée, elle alla trouver sa marraine et, après l'avoir remerciée, elle lui dit qu'elle souhaiterait bien aller encore le lendemain au bal, parce que le fils du roi l'en avait priée. Comme elle était occupée à raconter à sa marraine tout ce qui s'était passé au bal, les deux sœurs heurtèrent à la porte ; Cendrillon leur alla ouvrir. « Que vous êtes

---

ne laissait pas de : ne manquait pas de.
collation : repas servi au milieu de l'après-midi ou dans la nuit.
honnêtetés : actes ou paroles de politesse.
leur fit part : leur donna.

Il était une fois une femme très hautaine, mère de deux filles aussi vaniteuses qu'elle, qui avait épousé en secondes noces le père d'une jeune fillette d'une douceur et d'une bonté sans exemple. Celle-ci était détestée de sa belle-mère et de ses belles-sœurs.

Elles la chargeaient des plus viles occupa la maison. Lorsque son ouvrage était fini, la enfant allait tristement s'asseoir au coin du les cendres, ce qui faisait que l'aînée de se l'appelait Cucendron afin de se moquer d'elle

Ses sœurs étant parties pour le bal, Cendrillon restée seule se mit à pleurer; sa marraine qui était venue la voir, lui demanda pourquoi elle se désolait ainsi et lui dit: « Tu voudrais bien aller au bal, n'est-ce pas? »

Hélas, oui, ma marraine, dit Cendrillon e rant. — Eh bien, tu iras au bal, lui dit sa m qui était une fée; et, frappant de sa bagu citrouille, celle-ci se trouva changée en carrosse doré.

Aujourd'hui, beaucoup de récits sont présentés sous forme de bandes dessinées et de dessins animés. Au XIXᵉ siècle, certains contes parcouraient villes et campagnes sous l'aspect de ces images populaires.

dette, qui n'était pas si malhonnête que son
l'appelait Cendrillon ; cependant Cendrillon,
s méchants habits, ne laissait pas d'être cent
s belle que ses sœurs, quoique vêtues magni-
ent.

Or il arriva que le fils du roi donna un grand bal
et que les sœurs de Cendrillon y furent invitées ;
celle-ci les coiffa et les habilla à la perfection, tandis
que, dans leur méchanceté, elles se moquaient d'elle
parce qu'elle n'irait pas au bal de la cour.

aita, avisant une souricière où il y avait six
toutes en vie, elle les toucha de même avec sa
te au fur et à mesure que Cendrillon les faisait
t les voilà changées en six beaux chevaux gris-
elé.

Il y avait aussi dans la ratière un gros rat qui
avait de grandes moustaches. Oh ! oh ! dit la marraine,
quel beau cocher cela nous fera ! Et, d'un coup de
baguette, le voilà transformé en un gros cocher
moustachu.

Cherchez dans le grenier de vos grands-parents : il serait éton-
nant que vous n'y découvriez pas quelques *images d'Épinal*
comme celle-ci relative à l'histoire de *Cendrillon* (Imagerie Pel-
lerin). *Coll. Viollet.*

95 longtemps à revenir ! » leur dit-elle en bâillant, en se
frottant les yeux et en s'étendant comme si elle n'eût
fait que de se réveiller ; elle n'avait cependant pas eu
envie de dormir depuis qu'elles s'étaient quittées.

« Si tu étais venue au bal, lui dit une de ses sœurs, tu
100 ne t'y serais pas ennuyée : il y est venu la plus belle
princesse, la plus belle qu'on puisse jamais voir ; elle
nous a fait mille civilités,• elle nous a donné des
oranges et des citrons. » Cendrillon ne se sentait pas
de joie : elle leur demanda le nom de cette prin-
105 cesse ; mais elles lui répondirent qu'on ne la
connaissait pas, que le fils du roi en était fort en
peine et qu'il donnerait toutes choses au monde
pour savoir qui elle était. Cendrillon sourit et leur dit :
« Elle était donc bien belle ? Mon dieu, que vous êtes
110 heureuses ! ne pourrais-je point la voir ? Hélas !
mademoiselle Javotte, prêtez-moi votre habit jaune
que vous mettez tous les jours. – Vraiment, dit
mademoiselle Javotte, je suis de cet avis ! Prêtez
votre habit à un vilain Cucendron comme cela : il
115 faudrait que je fusse bien folle ! » Cendrillon s'atten-
dait bien à ce refus, et elle en fut bien aise, car elle
aurait été grandement embarrassée si sa sœur eût
bien voulu lui prêter son habit.

Le lendemain, les deux sœurs furent au bal, et Cen-
120 drillon aussi, mais encore plus parée que la première
fois. Le fils du roi fut toujours auprès d'elle et ne
cessa de lui conter des douceurs ; la jeune demoiselle ne s'ennuyait point et oublia ce que sa marraine
lui avait recommandé, de sorte qu'elle entendit son-
125 ner le premier coup de minuit, lorsqu'elle ne croyait
pas qu'il fût encore onze heures : elle se leva et
s'enfuit aussi légèrement qu'aurait fait une biche. Le
prince la suivit, mais il ne put l'attraper ; elle laissa
tomber une de ses pantoufles de verre que le prince

---

civilités : actes ou paroles de politesse.

130 ramassa bien soigneusement. Cendrillon arriva chez
elle bien essoufflée, sans carrosse, sans laquais, et
avec ses méchants* habits, rien ne lui étant resté de
toute sa magnificence qu'une de ses petites pantoufles, la pareille de celle qu'elle avait laissé tomber. On
135 demanda aux gardes de la porte du palais s'ils
n'avaient point vu sortir une princesse ; ils dirent
qu'ils n'avaient vu sortir personne, qu'une jeune fille
fort mal vêtue, et qui avait plus l'air d'une paysanne
que d'une demoiselle.
140 Quand ses deux sœurs revinrent du bal, Cendrillon
leur demanda si elles s'étaient encore bien diverties
et si la belle dame y avait été ; elles lui dirent que oui,
mais qu'elle s'était enfuie lorsque minuit avait sonné
et, si promptement, qu'elle avait laissé tomber une
145 de ses petites pantoufles de verre, la plus jolie du
monde ; que le fils du roi l'avait ramassée, et qu'il
n'avait fait que la regarder pendant tout le reste du
bal, et qu'assurément il était fort amoureux de la
belle personne à qui appartenait la petite pantoufle.

Questions

● **A propos du texte :**

*1/ Étudiez les transformations opérées par la fée
en montrant que ce féerique garde des rapports
avec la réalité.*

*2/ Combien de fois est raconté le premier bal ?
Comment Perrault évite-t-il la monotonie de ces
récits ? Que pouvez-vous remarquer sur la longueur
et le contenu du récit du second bal ?*

*3/ Comment est souligné l'effet produit par l'arri-
vée de la belle princesse inconnue ?*

méchants : sans valeur.

4/ *Les sœurs jalouses font l'éloge involontaire de Cendrillon : dans ce qu'elles disent, qu'est-ce qui peut plaire particulièrement à la jeune fille ?*

● **A partir du texte :**

A/ *Pantoufle de verre ou de vair ? Quelle interprétation préférez-vous ?*

B/ *Soyez fée : à la manière de la marraine de Cendrillon, opérez d'autres transformations d'objets ou d'animaux pour faire le bonheur de la jeune fille.*

Vous pouvez aussi transposer à votre époque comme cela a été fait dans une parodie du conte : « T'en fais pas, avec la boîte de sardines, je vais te faire une Citroën ! »

C/ *« Avec des si... », imaginez une suite :*
— si Mlle Javotte avait accepté de prêter à Cendrillon son habit jaune pour aller au deuxième bal ;
— si la pantoufle de verre s'était brisée.

D/ *Les noms des personnages : Cendrillon, Javotte ; lequel vous plaît le plus ? Trouvez un nom pour l'autre méchante sœur.*

LE PETIT POUCET

Vous savez de quelle façon le Petit Poucet, une première fois abandonné avec ses frères dans la forêt, a pu retrouver son chemin et comment, la seconde fois, sa prévoyance a été déjouée.

Dans la nuit, les enfants atteignent une maison : c'est celle d'un ogre ; la femme les accueille, espérant pouvoir les cacher à son mari.

Comme ils commençaient à se chauffer, ils entendirent heurter trois ou quatre grands coups à la porte : c'était l'ogre qui revenait. Aussitôt, sa femme les fit cacher sous le lit et alla ouvrir la porte. L'ogre
5 demanda d'abord si le souper était prêt et si on avait tiré du vin, et aussitôt se mit à table. Le mouton était encore tout sanglant, mais il ne lui en sembla que meilleur. Il flairait à droite et à gauche, disant qu'il sentait la chair fraîche. « Il faut, lui dit sa femme, que
10 ce soit ce veau que je viens d'habiller• que vous sentez. – Je sens la chair fraîche, te dis-je encore une fois, reprit l'ogre, en regardant sa femme de travers, et il y a ici quelque chose que je n'entends• pas. »
En disant ces mots, il se leva de table et alla droit au
15 lit. « Ah, dit-il, voilà donc comme tu veux me tromper, maudite femme ! Je ne sais à quoi il tient que je ne te mange aussi : bien t'en prend d'être une vieille bête. Voilà du gibier qui me vient bien à propos pour traiter• trois ogres de mes amis qui doivent• me venir voir
20 ces jours-ci. »
Il les tira de dessous le lit l'un après l'autre. Ces pauvres enfants se mirent à genoux en lui demandant pardon ; mais ils avaient à faire au plus cruel de

---

habiller un veau : c'est ôter la peau, les tripes et le préparer pour être découpé.
entendre : comprendre.
traiter : nourrir.

tous les ogres qui, bien loin d'avoir de la pitié, les
25 dévorait déjà des yeux et disait à sa femme que ce
seraient là de friands morceaux lorsqu'elle leur aurait
fait une bonne sauce. Il alla prendre un grand couteau et, en approchant de ces pauvres enfants, il
l'aiguisait sur une longue pierre qu'il tenait à sa main
30 gauche. Il en avait déjà empoigné un, lorsque sa
femme lui dit : « Que voulez-vous faire à l'heure qu'il
est ? n'aurez-vous pas assez de temps demain
matin ? – Tais-toi, reprit l'ogre, ils en seront plus
mortifiés•. – Mais vous avez encore là tant de viande,
35 reprit sa femme : voilà un veau, deux moutons et la
moitié d'un cochon ! – Tu as raison, dit l'ogre ;
donne-leur bien à souper, afin qu'ils ne maigrissent
pas, et va les mener coucher. »
La bonne femme fut ravie de joie et leur porta bien à
40 souper, mais ils ne purent manger tant ils étaient
saisis de peur. Pour l'ogre, il se remit à boire, ravi
d'avoir de quoi si bien régaler ses amis. Il but une
douzaine de coups plus qu'à l'ordinaire, ce qui lui
donna un peu dans la tête et l'obligea de s'aller cou-
45 cher.
L'ogre avait sept filles, qui n'étaient encore que des
enfants. Ces petites ogresses avaient toutes le teint
fort beau parce qu'elles mangeaient de la chair
fraîche comme leur père ; mais elles avaient de petits
50 yeux gris et tout ronds, le nez crochu et une fort
grande bouche avec de longues dents fort aiguës et
fort éloignées l'une de l'autre. Elles n'étaient pas
encore fort méchantes ; mais elles promettaient
beaucoup, car elles mordaient déjà les petits enfants
55 pour en sucer le sang.
On les avait fait coucher de bonne heure, et elles
étaient toutes sept dans un grand lit, ayant chacune

---

mortifier : rendre la viande plus tendre ; par exemple : en la
mettant quelque temps à l'air.

une couronne d'or sur la tête. Il y avait dans la même chambre un autre lit de la même grandeur : ce fut
60 dans ce lit que la femme de l'ogre mit coucher les sept petits garçons ; après quoi, elle s'alla coucher auprès de son mari.
Le Petit Poucet, qui avait remarqué que les filles de l'ogre avaient des couronnes d'or sur la tête et qui
65 craignait qu'il ne prît à l'ogre quelque remords de ne les avoir pas égorgés dès le soir même, se leva vers le milieu de la nuit et, prenant les bonnets de ses frères et le sien, il alla tout doucement les mettre sur la tête des sept filles de l'ogre, après leur avoir ôté
70 leurs couronnes d'or qu'il mit sur la tête de ses frères et sur la sienne, afin que l'ogre les prît pour ses filles, et ses filles pour les garçons qu'il voulait égorger. La chose réussit comme il l'avait pensé ; car l'ogre s'étant éveillé sur le minuit eut regret
75 d'avoir différé au lendemain ce qu'il pouvait exécuter la veille ; il se jeta donc brusquement hors du lit et, prenant son grand couteau : « Allons voir, dit-il, comment se portent nos petits drôles ; n'en faisons pas à deux fois•. »
80 Il monta donc à tâtons à la chambre de ses filles et s'approcha du lit où étaient les petits garçons, qui dormaient tous, excepté le Petit Poucet, qui eut bien peur lorsqu'il sentit la main de l'ogre qui lui tâtait la tête, comme il avait tâté celles de tous ses frères.
85 L'ogre, qui sentit les couronnes d'or : « Vraiment, dit-il, j'allais faire là un bel ouvrage ; je vois bien que je bus trop hier au soir. » Il alla ensuite au lit de ses filles où, ayant senti les petits bonnets des garçons : « Ah ! les voilà, dit-il, nos gaillards ! travaillons har-
90 diment. » En disant ces mots, il coupa sans balancer La gorge à ses sept filles. Fort content de cette expédition, il alla se recoucher auprès de sa femme.

---

n'en faisons pas à deux fois : expédions-les d'un coup.

Aussitôt que le Petit Poucet entendit ronfler l'ogre, il réveilla ses frères et leur dit de s'habiller prompte-
95 ment et de le suivre. Ils descendirent doucement dans le jardin et sautèrent par-dessus les murailles. Ils coururent presque toute la nuit, toujours en trem-blant et sans savoir où ils allaient.

L'ogre, s'étant éveillé, dit à sa femme : « Va-t'en
100 là-haut habiller• ces petits drôles d'hier au soir. »

L'ogresse fut fort étonnée de la bonté de son mari, ne se doutant point de la manière qu'il entendait qu'elle les habillât•, et, croyant qu'il lui ordonnait de les aller vêtir, elle monta en haut où elle fut bien
105 surprise lorsqu'elle aperçut ses sept filles égorgées et nageant dans leur sang.

Elle commença par s'évanouir (car c'est le premier expédient que trouvent presque toutes les femmes en pareilles rencontres•). L'ogre, craignant que sa
110 femme ne fût trop longtemps à faire la besogne dont il l'avait chargée, monta en haut pour lui aider. Il ne fut pas moins étonné que sa femme lorsqu'il vit cet affreux spectacle. « Ah ! qu'ai-je fait là ? s'écria-t-il. Ils me le payeront, les malheureux, et tout à
115 l'heure•. »

Il jeta aussitôt une potée d'eau dans le nez de sa femme et, l'ayant fait revenir : « Donne-moi vite mes bottes de sept lieues, lui dit-il, afin que j'aille les attraper. » Il se mit en campagne et, après avoir
120 couru bien loin de tous côtés, enfin il entra dans le chemin où marchaient ces pauvres enfants qui

---

Illustration de Gustave Doré pour *Le Petit Poucet* tirée de l'Édition Hetzel des contes de Perrault (XIXᵉ siècle). *Ph. Hachette.*

---

habiller : (*cf.* habiller un veau p. 55) avec ici un jeu de mots.
rencontres : occasions.
tout à l'heure : immédiatement.

n'étaient plus qu'à cent pas du logis de leur père. Ils
virent l'ogre qui allait de montagne en montagne et
qui traversait des rivières aussi aisément qu'il aurait
125 fait le moindre ruisseau. Le Petit Poucet, qui vit un
rocher creux proche le lieu où ils étaient, y fit cacher
ses six frères et s'y fourra aussi, regardant toujours
ce que l'ogre deviendrait. L'ogre, qui se trouvait fort
las du long chemin qu'il avait fait inutilement (car les
130 bottes de sept lieues fatiguent fort leur homme),
voulut se reposer ; et, par hasard, il alla s'asseoir sur
la roche où les petits garçons s'étaient cachés.
Comme il n'en pouvait plus de fatigue, il s'endormit
après s'être reposé quelque temps, et vint à ronfler
135 si effroyablement que les pauvres enfants n'en
eurent pas moins de peur que quand il tenait son
grand couteau pour leur couper la gorge. Le Petit
Poucet en eut moins de peur et dit à ses frères de
s'enfuir promptement à la maison pendant que l'ogre
140 dormait bien fort, et qu'ils ne se missent point en
peine de lui. Ils crurent son conseil et gagnèrent vite
la maison.
Le Petit Poucet s'étant approché de l'ogre lui tira
doucement ses bottes et les mit aussitôt. Les bottes
145 étaient fort grandes et fort larges ; mais, comme
elles étaient fées,• elles avaient le don de s'agrandir
et de s'apetisser selon la jambe de celui qui les
chaussait, de sorte qu'elles se trouvèrent aussi
justes à ses pieds et à ses jambes que si elles
150 avaient été faites pour lui.

---

fées : enchantées, magiques.

Questions

● **A propos du texte :**

1/ *Quel titre donneriez-vous à cet extrait du* Petit Poucet ?

2/ *La lutte de l'ingéniosité contre la force : montrez que l'ogre, dominé par son désir de manger les enfants, commet des erreurs que le Petit Poucet met à profit.*

3/ *Montrez l'atmosphère de cruauté et d'épouvante qui règne dans la maison de l'ogre. Cependant n'est-elle pas atténuée par quelques réflexions que Perrault introduit dans le récit ?*

4/ *Etudiez la présentation des petites ogresses.*

● **A partir du texte :**

A/ *Une des petites ogresses fait au Petit Poucet et à ses frères le récit des horreurs qu'elle a vues dans sa maison.*

B/ *Imaginez une scène à la table de l'ogre :*

a/ *dessinez-la ;*

b/ *jouez un sketch qui fera intervenir l'ogre, sa femme et ses enfants, des invités, des victimes...*

C/ *Les fillettes aux couronnes d'or, attendries par le sort des sept garçons abandonnés, deviennent leurs complices pour jouer un tour à l'ogre : inventez un récit amusant à partir de cette donnée.*

D/ *Dans votre ville, y a-t-il des boutiques à l'enseigne du « Petit Poucet » ? D'autres noms de personnages des contes sont-ils également utilisés ? Inventez d'autres enseignes (que vous pourrez dessiner) ou des marques de produits en utilisant des noms de personnages, ou d'objets, de lieux, etc... pris dans les* Contes *de Perrault.*

■ Itinéraire à travers les contes

Essayez de faire un itinéraire *qui passe par tous les mots désignant des personnages, animaux, objets, lieux... dont il est question dans les extraits des* Contes *contenus dans ce livre, et en respectant les règles suivantes :*

— Ne pas passer deux fois par le même mot ;
— Deux mots consécutifs ne peuvent appartenir au même conte.

Recopiez sur une grande feuille les mots proposés et joignez-les par des flèches.

Ainsi cet itinéraire *peut commencer de la façon suivante : Jupiter - habit jaune - coutelas...*

     Cucendron   boudin   Jupiter   coutelas

citrouille   bavolet

grisettes   Carabas

Javotte   habit jaune

meunier   cocher

Aurore   moissonneurs

éléphants   lézards

salon de miroirs   hautbois

rivage more   lion

pantoufle   clef

fagots   Blaise

        bal   Anne   troupeau de moutons

Si cet itinéraire *vous paraît trop facile, ajoutez une règle :*

— Deux mots consécutifs ne peuvent être deux personnages, ou deux animaux, ou deux objets, lieux ou vêtements.

Ainsi, vous pouvez commencer votre itinéraire : *Cucendron - coutelas - Blaise - bal...*

TABLE DES MATIÈRES

Imprimé en France par Union Parisienne d'Imprimeries, 75481 Paris Cedex 10
Dépôt légal n° 6976-8-1978 - Collection n° 06 - Édition n° 01
◈ 12/4590/1   ISBN 2.01.004891.1